저자소개
명상철학가

저서
「마음과 자연과 사색에 대하여」
「삶과 사색에 대하여」
「사람꽃」
「길 위에서 사색」

사색 구름 위를 걷다

발 행 2016년 10월 17일
저 자 박찬우
펴낸곳 주식회사 부크크
주 소 경기도 부천시 원미구 춘의동202 춘의테크노파크2차 202동 1306호
전 화 (070) 4084-7599
E-mail info@bookk.co.kr
ISBN 979-11-272-0594-2
www.bookk.co.kr

사색 구름 위를 걷다

박찬우 지음

목 차

작가의 말

머리를 들어
하늘을 본다.

낮에는 구름을
밤에는 별을 헤아린다.

나무처럼
하늘과 땅으로

균형감을 갖고
살아간다면

나는 자연과
하나가 된다.

2016. 10. 백마산에서

제 1 장 마음에 대하여

마음은 구름이 되어

머리 위에 하늘을
응시하여 보라!

몸은 바람이 되어
지구여행을 시작하고

마음은 구름처럼
하늘여행을 시작한다.

하고 싶은 일을 해도

하고 싶은 일을 해도
마음이 우울하다면

우울한 감정이 마음을
덮고 있는 것이다.

우울한 감정은 욕심이다.
그 욕심 거두어 보라!

다시 편안한 마음으로
일을 할 수 있을 것이다.

마음이 원한다 해도

마음대로 하고 싶은
일을 한다고 한다.

그러나 욕심이란 것이
마음 행세를 하는지
헤아려 보기 바란다.

이는 본래의 마음이란
하고 싶은 것이 없는
마음이기 때문이다.

벽만 있어서 답답하다면

마음은 사방이 막혀있는
몸속에 가두어져 있다.

위로 통하는 곳으로
조각난 생명이 밀려온다.

아래로 열려있는 곳으로
나가는 사연들로 틈이 없다.

그래도 마음은 오늘도
희망을 노래하고 있다.

마음의 가격은

몸이란 문을 통해서
마음은 열고 닫는다.

마음은 몸에 의지하고
있기에 몸값에 계산된다.

그러나 마음의 가격은
마음먹기에 달려있다.

마음이란 또 다른 나

혼자 있다고 한다면
당연히 외로울 것이다.

그러나 내 안엔 마음이란
또 다른 내가 있다.

나와 잠시도 쉬지 않고
대화하기를 원하고 있다.

그 마음이 홀로 있을 때
내가 외로워지는 것이다.

내겐 작은 고민이라도

내겐 작은 고민이라도
어떤 이는 큰 고민이 된다.

고민의 크기는 생의 방향에
따라 다르기 때문이다.

마음이 주로 어디에 머물고
있는지를 살펴보아야 한다.

본래 마음에 가까운 고민을
한다면 이는 고민이 아니라
사색을 하고 있는 것이다.

마음이 몸을 위로 한다고

마음을 위로하기 위해
술로 몸을 달래본다.

술이 위로해주는 굴레에
몸 또한 빠져들어 간다.

몸은 병이 생겨나고
마음은 수심이 깊어진다.

결국, 마음으로 끊어야만
몸 또한 술이 끊어진다.

마음이 그릇이 되어

마음을 비운다 하면
마음을 그릇으로
계량화한 것이다.

마음을 형이하학의
행태로 하여 이야기
하고 있는 것이다.

마음이 그릇이라면
그 안에 담은 것도
사물화된 것들이다.

몸이 있기에 마음이 있고

몸은 한시적으로 살아간다.
마음은 몸에 더부살이한다.

마음은 몸이란 작은 자연을
의지 처로 삼고 있기 때문이다.

몸은 들숨과 날숨에 틈이 없다.
이를 생의 호흡 작용이라 한다.

마음 또한 몸을 통해 호흡한다.
이를 사색의 호흡이라 한다.

또 다른 나와 대화라도

누군가를 더욱 미워하게
만들어서 행복하게 느끼게
하는 마음이 내 안에 있다.

이 마음과는 대화를 하지
않도록 노력을 하여야 한다.

궁극으론 나를 불행하게
만드는 욕심이기 때문이다.

자연을 닮은 마음은 누군가를
미워하는 마음은 아니기 때문이다.

나이를 먹었는데

나이를 먹었는데
마음은 청춘이라 한다.

마음만 청춘이면 안 된다.
몸에 맞게 살아야 한다.

꺼져가는 불에 장작은
더는 필요하지 않다.

검은 숯에 타는 불은
숯불이어도 청춘이다.

나는 여러 마음으로

나의 마음은 여러 형태로
나누어지거나 바뀌어 지는
것으로 보여 진다.

혈연 속에 있는 나, 직업과
사회생활 속에 있는 나
그리고 사색하고 자각하는
자성인 나로서의 마음이다.

그러나 이는 마음이 바라보는
관점을 주로 어디에다 머물게
하고 있느냐에 따라서 마음이
다른 것처럼 보이는 것일 뿐이다.

취미를 잘 살려야

취미와 일이 같다면 즐겁게
일을 할 수가 있을 것이다.

일하는 것이 즐거우니
마음 또한 행복할 것이다.

일하기 위해 오는 사람들 역시
취미가 같은 사람들이
오기에 더욱 즐거울 것이다.

취미다운 취미란

취미생활을 한다는 것은
각종 구속에서 벗어나서
마음이 자유로워지기에
남다른 행복감을 느낀다.

자신이 취미생활로 인해
행복함을 느끼는 만큼 주위
사람들도 편안하고 행복해
한다면 진정으로 좋은 취미
생활이라 할 수 있다.

몸 안에 마음이 있으니

몸 안에 마음이 있으니
몸을 편안하게 하다면
마음 또한 편하여지는가?

마음은 몸이 편안함과
무관함을 알 수가 있다.

마음은 몸을 최소한으로
의지를 하고 있기 때문이다.

자식에 대한 것은 비울 수가

자기는 마음을 비웠으니
어떠한 욕심도 없다고 한다.

단지 소원이 있다면 모성애로
자식이 잘살면 된다 한다.

그러나 자식에 대한 관심이
자기 자신과 하나라고 고착
되어있는지 살펴보아야 한다.

화를 낸다 해도

화를 내더라도 타인이 아닌
자기 안의 욕심에 화를 내는
경우엔 화라 하지 않는다.

본래의 마음이 과도한 욕심에
대해 질책하고 있는 것이기에
이는 이성이 작용한 것이다.

화가 나거든 그 상황은 욕심의
현장임을 알아차리기 바란다.

예술과 타는 마음 1

예술은 허기진 몸을
채우진 못한다.

예술로 몸을 채우고자
하면 어리석다.

예술은 빛과 열이 가득한
타는 마음이기 때문이다.

예술과 타는 마음 2

예술은 마음의
불씨만 있다면
순식간에 타오른다.

예술은 마시는 것이
아니라 타는 것이기
때문이다.

예술이 타오를 때
마음은 혼이라는
또 다른 이름으로
불리 운다.

물고기를 잡는 법을 1

물고기를 잡아 주는 것
보다는 잡는 법을 가르쳐
주어야 한다고 한다.

물고기란 물에 사는 생명을
먹은 음식으로 표현한 것이다.

물고기를 음식으로 먹고
우리가 산다. 그러기에 잡는
의미만 생각하지 않아야 한다.

물고기를 잡는 법을 2

물고기는 귀중한 생명이다.
반면에 우리는 그 터전에
낚싯대를 드리우며 생명을
거두는 것을 배우고 있다.

다른 생명체의 소중함과
자연의 이치를 생각할 수
있는 사색을 낚는 법을
배워야 한다.

마음의 종류에는 1

철학 하는 마음이다.
이 마음은 노인의
마음이라 표현할 수 있다.

생리적으로 나이를
먹는 것과는 별개이다.

존재에 대한 고찰을
생의 끝부분에서부터
시작하는 상태의 마음이다.

즉 생을 끝자락을 붙잡고
생의 과정 의미를
재조명하는 마음을 노인의
마음으로 표현하였다.

마음의 종류에는 2

신념에 관한 마음이다.
어린아이의 마음이다.

어린아이는 배고프면
울음을 터트린다.

무언가가 부족하면
채워질 것을 원초적

표현만으로 가능하다고
생각하는 마음이다.

마음의 종류에는 3

소년의 마음이란
문학을 하고 싶은
마음이다.

마음속에 현실이
아닌 이상의 꿈이
가득한 마음이다.

아직 몸으로 세상을
부딪치는 것을 피하고
싶은 상태의 마음이다.

마음의 종류에는 4

청년의 마음은
예술을 하는 마음이다.

사용할 수 있는 힘을
다 활용하여 아름다움을
추구하는 마음이다.

또한, 자기의 이익에만
집중하지 않는 마음을 말한다.

마음의 종류에는 5

장년의 마음은 현실에
충실해 하는 마음이다.

현실적 셈법을 가장
적극적으로 계산하는

일상생활을 지배하는
가장 보편적이고
실리적인 마음을 말한다.

마음의 종류에는 6

마지막으로 자연의
마음이다.
이는 기존의 마음들을
모두 아우를 수 있는
마음을 말한다.

어머니 마음도 해당한다.
대자연의 이치 속에
입각한 생멸에 관한
마음이기 때문이다.

마음의 종류에는 7

마음은 하나만 있지 않고
복합적으로 있다는 점이다.

우리가 마음을
비운다고 한다는 뜻은
장년의 마음속에 있는
욕심을 말하는 것이다.

이 욕심이 전체 마음의
50% 이상이 되면 생의 향기와
마음의 여백이 없게 된다.

의식 속의 마음이란

외부로 향한 생의 목적을
꿈으로 설정하고 그것을
실현하고자 하는 자아적인
마음을 뜻한다.

또한 세속적인 명예와 부를
얻고자 하는 마음을 말한다.

의식된 마음은 외부로 향한
겉마음이기에 가면이라고도 한다.

이는 마음 외면의 세계에 대한
성공을 의미하기 때문일 것이다.

무의식의 마음이란 1

의식된 마음의 세계가
아닌 본래의 자연스러운
마음의 세계를 말한다.

끝점에는 본래의 자기가 있다.
그곳에 도달하면 외부적인
모습이 그리 중요하지 않다.

그곳에 도달하면 지극히
만족도가 높아 행복지수가
높은 곳임을 알 수가 있다.

무의식의 마음이란 2

내 안의 마음을 살펴보자.
우선은 깜깜한 우주를
보게 될 것이다.
그곳이 의식된 마음과
무의식의 마음의 경계점이다.

그곳에서 대부분 더 깊이
살펴보지 않는다.
낮과 밤이 따로 없듯이
조금만 더 머물고 있으면
다시 찬란히 밝아온다.

그리고 자연인 우주가 펼쳐진다.
그곳은 본래의 마음자리인
무의식의 세계인 것이다.

서로가 마음이 통해야 1

내가 가리키는 방향의
것을 상대방이 보지 못하는
것을 책하는 말이 있다.

달을 보라 했는데
달은 안 보고 손가락만
본다고 하는 말이다.

여러 가지 해석을 할 수
있겠지만, 기본적으로
서로 간의 마음이 안 맞고
있음을 알 수 있다.

서로가 마음이 통해야 2

수준의 차이를 책하기보다는
가르쳐주는 이의 따스한 손길과

배우고자 하는 이의 마음의
눈길이 하나가 되어야 한다.

이는 서로에 대한 신뢰를
바탕으로 마음이 통하는 것을
먼저 수련하여야 할 것이다.

서로가 마음이 통해야 3

형이상학적 현상을 알고 느끼기
위해서는 마음 작용을 집중하여
감을 잘 잡고 분석해야 한다.

그래서 감을 들어 보여 주었다.

사람들은 감의 실체와 성분을
분석하고 그에 따른 의미를
부여하기 위해 시간 가는 줄 모른다.

마음속의 대화란

세상사에 대해 생각을 하면서
겉으로 표현 하지 않는다면
마음으로 대화 하는 것인가?

겉으로 말하지 않았을 뿐으로
마음으로 대화라 하지 않는다.

자연과 닮아있는 속마음으로
다가갈 수 있는 마음의 대화를
마음속의 대화라 할 것이다.

현실과 이상이 다른지를

우린 현실 속에서
이미 살아가고 있다.
몸이 살아 있는 한 현실이다.

다만 몸속의 마음이 현실과
이상 중에 어떤 가치에
더 많이 머무는 지에 따라서
주의가 달라질 뿐이다.

길을 갈수록 욕심이 생긴다면

어떠한 방향의 길을 가는데
욕심이 계속 만들어진다.

순수한 마음으로 가고자 한다.
그러나 욕심으로 다가온다.

오던 길을 되돌아보아야 한다.
어디쯤에서 옆길로 간 것이다.

형이상학적 인생관을 갖는다는 것은

형이상학이란 개념은 있으나
형태가 없으므로 추상적이다.

그래서 형태가 있는 사물과
반대되는 것을 말한다.

인문학이나 철학 등등이다.
몸과 마음을 이야기할 때
마음을 의미하기도 한다.

그 마음속에 마음의 집을
가지고 있다면 형이상학적
인생관을 가지고 있는 것이다.

제 2 장 자연에 대하여

반듯이 위로 올라갈수록

반듯하게
하늘로 올라가는
나무가 있다.

큰 나무일수록
열매 또한 높은 곳에
매달려 있다.

높은 곳에 있어도
열매 또한 있음을
알아야 한다.

구름 꽃

밤새 떨고 있는
풀잎 가여워

이슬 이불
잎 새에 덮어주다.

맺힌 정을
어찌할 줄 모르고

눈물 마르도록
안아주다.

맑은 햇살 타고
새하얀 구름 꽃으로
피어난다.

세월 속에 여심이란

갈라진 손톱에서
붉은색을 보았다.

늦가을 바람에
코스모스 꽃잎
살짝 내려앉아 있다.

모진 세월에도
끈질기게 살아남아
꽃잎훈장 달고 있다.

길다운 길이란

지구가 우주를
항해하는 정도를
길이라 한다.

우리에게는 세월만
흐르고 있을 뿐이다.

우리는 겨우
살기 위한 방편을
길이라 하고 있다.

초와 향은 스스로 불을

준비된 것과 불을 붙여
태우는 것은 다르다.

초와 향은 스스로 불을
붙이지는 못한다.

육체와 정신이 있더라도
자성으로 깨우쳐야 한다.

자연과 하나임을 자성으로
알아차릴 때 비로소
초와 향은 타기 시작한다.

자연스러운 생이란

우린 객체로서
유효기간이 있다.

유효기간 안에
살아가야 한다.

유효기간 연장
없이 살아가면

자연스러운 생을
살아가는 것이다.

자연은 이미 다 알고

우리는 자연 속에서
태어나 존재하면서
자연을 알아가고 있다.

자연 이상 것이 있다고
생각하고 알아가고 있다.

그리고 자연 안에 있음을
알아가면서 살아간다.

자연의 소리가 1

귀에 대고 속삭이듯
은밀한 말을 전하고
바람은 급히 달려간다.

미처 다 듣지도 않았는데
바람은 급히 달려간다.

듣지 못한 것이 아니라
바람이 말하는 걸 알지
듣지 못하는 것이다.

의식된 마음만으로는 자연의
말을 알 수가 없기 때문이다.

자연의 소리가 2

구름이 창공에다
그림을 그리고 있다.

마음의 창에
그 그림 있다면

분명 자연을
담고 있는 것이다.

섬은 바다의 별이다

섬은 바다의 별이다.
수많은 파도가 부딪친다.

그리고 파도는 눈부신
별빛을 토해 놓는다.

그 별빛을 찾는 수많은
바다 생명들이 사랑을
속삭인다.

섬은 바다의 별이다.

꽃은 식물에게는

꽃은 식물에게는
마음일 것이다.

그 마음 사랑 되어
꽃다발을 스스로
만들고 있다.

꽃은 식물에게는
마음일 것이다.

가게 앞에 나무를

가게 앞에 나무를
베어내지 마라.

가게를 가리기에
베어낸다면
그대는 자연을
잃은 것이다.

그리고 가게 또한
잃게 될 것이다.

자연을 잃는 마음엔
욕심만이 가득 차기
쉽기 때문이다.

나에게서 떠나가면

나에게서 떠난 것들을
죽었다 하지 않는다.

생사를 포함하는 것이
자연이기 때문이다.

나에게서 떠나간 것들은
지구라는 별에 그냥 있다.

새는 하늘에서 벗을

새는 몸통은
아주 작지만
날개는 크다.

손으로 붙잡을
일도 없다.
발가락이면
충분하다.

날개로 허공을
붙잡을 수 있다.
하늘 또한 벗으로
삼을 수가 있다.

길을 잃어도 여행은

우리는 여행자이다.
길을 잃었다 해도
이미 여행 중이다.

인간 세상에 대한
부분에서 문제가 되면
방향을 바꾸어 보라.

우리의 길은 방향이다.
방향을 바꿔서 가면 된다.

우리를 포함한 자연이
여행자이기 때문이다.

제 3 장 사색에 대하여

사색 꽃 피우고

우주와 자연을 닮은
마음속 그곳에서

꽃향기 퍼져나듯
사색 안개 피어난다.

육안으론 보이지 않는
찬 공기 물안개 되듯

새벽녘 맑은 햇살에
마음 꽃잎에 맺힌다.

사색을 하는 이유

욕심이 가득하여
마음이 되었다.

욕심을 내려놓으면
마음을 내려놓게 된다.

틈새를 찾는 작업과
활동이 사색의 시작이다.

문자와 낱말은 영원할까

종은 객체로선 유한하다.
객체는 살아있는 동안
새로운 객체를 탄생시킨다.

그래서 종은 한시적이면서
일정한 무한성을 지속한다.

객체적인 관점에서 벗어나
생멸하지 않는 힘을 빌려
무한성의 낱말로 살아난다.

말도 안 되는 말을 하여도

누군가가 말도 안 되는
말을 걸어왔을 때는
순간 당황할 것이다.
대응할 논리가 있다.

그러나 내 생각을 쉽게
드려내서 맞대응하지
않고 있다면 내 생각은
비싼 보물 이다.

책이 진실일까

책을 통해서 느끼고
사색하면서 체계를
세워간다면 궁극으로
책은 정답을 제공하는
소중한 도구가 된다.

다만 어떠한 책이라도
책의 내용은 지은이가
원하는 방향성이 있다.

그것이 보편적 진실이라는
이름으로 이미 경도 될 수
있음을 알아야 한다.

감동을 할 준비만

사색을 통해서 스스로
감동이 오도록 해야 한다.

사색을 멈추게 하면서
서두는 버려진 채로

몸통만으로 어느 곳이나
맞추어지는 언어의 유희를
사색이라 하지 않는다.

옷에 실밥이 남아 있다면 1

옷감에 재봉하고 나면
옷 형태는 완성되었지만
지천으로 달린 실밥이
옷답지 못하게 하는 모양새이다.

제법 시간이 걸려 옷의 천이
상하지 않고 올이 풀리지 않는
만큼만 잘 가위로 다듬어야 한다.

농부가 논둑을 정리하는 것과
같은 모양새이다.
생각 또한 다르지 않음이다.

옷에 실밥이 남아 있다면 2

무언가 작품을 완성하기
위해서는 많은 생각이란
다양한 실들이 필요하다.

옷이 만들어진 이후에는
실은 잘라내어야 한다.

사색의 범주는 고찰을 통해
생각의 옷을 만드는 것이다.

또한, 남은 실들은 과감하게
자르고 정리하는 것까지이다.

변명만 한다면

변명은 상황을 면해보려는
무의식적 행동이다.

변명이 나올 수밖에 없는
분위기를 만들고 있지나
않는지 돌아보기 바란다.

소심한 사람인 경우에는
자기주장과 표현이 약하여
변명으로 들리기도 한다.

용기와 위로를 먼저 하여서
변명거리를 줄어 보도록
배려해보자.

신념이나 가치관은

신념이나 가치관은
유전자로 후손에게
유전되지 않는다.

신념에 따른 가치관의
형성은 후천적으로
이루어지기 때문이다.

아무리 가까운 혈육이라도
마음이 쉽게 통하는 것이
아님을 알고 사색을 통한
많은 노력이 요구된다.

처음부터 빈손인가?

우린 처음부터 아무것도
가지거나 알지 못하고
세상에 태어난 것일까?

어찌 빈손이란 말인가?
부모 형제 재물 등이
태어나자마자 있게 된다.

많은 것을 가지고 태어나
살아가는 것이다. 빈손으로
가기 어려운 이유이다.

주관적인 관점이란

자기의 탄생에 대해서
스스로는 알지 못한다.

그래서 자기의 탄생에
대해 객관적 사실과
무관하게 주관적으로
생각을 하게 된다.

남들의 탄생은 객관적
판단을 하면서도 유독
자신에게만 특별한 생각을
갖게 됨을 알 수 있다.

생활 속에 삼매란

식사 후에는 음식을 담은
그릇들을 설거지 한다.
물론 음식으로 내어준
생명들에게 예를 갖춘다.

그리고 그릇들을 제자리에
정리함으로써 식사에 관련된
여러 잡다한 생각들을 끝난다.

옷 또한 마찬가지다.
입었던 옷을 잘 세탁하여
옷장에 잘 보관함으로써
옷으로 인한 외형적 모습에
관한 생각이 멈추게 된다.
이렇게 일상에서도 삼매는
얼마든지 가능함을 알 수가 있다.

조금 더 섬세하게 사색해야 1

누군가가 말을 한다.
생각을 많이 한다고 해서
답이 나오지 않는다고 한다.

또한, 생각이 많을수록 고민만
많아지는 것 같다고 한다.

물론 일리가 있다. 그러나
문제와 답을 도출하는 것도
생각 속에 있다.

사색을 하는 경우에는

사색을 한다 해도 결론을
정해 놓고 생각들을 모아
가는 경우가 있다.

본질인 경우 어떠한 공식과
또는 규명을 통하여 결론에
이르게 할 수가 있다.

그러나 형이상학적인 존재에
대한 사색은 깊어지는 것에
따라 새로움이 펼쳐진다.

존재에 대한 사색은 시작은 있어도
결론을 정하여 놓을 수는 없다.

조금도 섬세하게 사색해야 2

생각을 많이 하였는데도
답이 나오지 않는다고 한다.

그러나 답이 없다는 생각을
되풀이하면서 그 생각을
다지고 있지 않은지 생각해보라.

생각의 목표를 고착시켜놓고
계속 생각하는 것은 무의미하다.

생각하는 양이 중요한 것이 아니라
깊고 유연한 사색이 필요하다.

열심히 산다 해도

모두 열심히 살아간다.
다만 그것이 주관적으로
가치가 있다고 해도
객관적으로 그리 의미를
줄 수가 없는 일이 있다.

주관적으로 최선을 다하면서
보편적 가치에 도움이
되어 질 수가 있는지를
수시로 되돌아볼 수만 있다면

그것이라 말로 열심히
살아가고 있는 것이다.

하나라고 말하여도

하나가 전부를
포함한 하나라면

사실상 전부를
하나라고 하고
있을 뿐이다.

하나는 온전히
하나일 때에
하나가 된다.

호흡을 통해 느껴지는 것은

살아 있다는 것을 호흡
작용을 통해 느낄 수 있다.

호흡 속에는 과거는 물론
현재와 미래가 공존한다.

생과 사의 연결이 호흡 속에
순식간에 반복적으로 이어진다.

사색과 모색이란

오늘 내가 할 일을
잘 정리하고 해결

하고자 생각한다면
모색이라 할 것이다.

오늘 내가 생의 방향성을
잊지 않으려고 노력을

끊임없이 생각한다면
이를 사색이라 할 것이다.

주관적인 관점이란

어린 시절 아이는 자기가
언제 태어났는지 모른다.

그래서 과거를 막연하게
옛날이라고 생각한다.

어린 시절은 자각하지
못한 세월이기 때문이다.

옛날이라고 생각하지만 불과
얼마 전의 세월을 말하고 있다.

제 4 장 애정에 대하여

결혼해도 안 해도 후회한다는데

결혼에 대한 생각이란
사람마다 달라서 명쾌한
답은 구하기 어려울 것 같다.

그래서 결혼이라는 제도의
관습적 구조에서의 답이라
보기보다는 개개인의 결혼
생활에서 느낀 경험에 의한다.

즉 배우자가 어떤 상대인가에
따라서 그 만족도에 따른 답이
나오는 것이다.

연애와 결혼의 차이점은 1

수많은 차이점이 있을 것이다.
그중에 하나는 만남에 대한
항구성과 지속성 여부일 것이다.

밤에 동거하는 집합 체적
개념을 공유하느냐 안 하느냐에
따라서 기준이 다르게 된다.

연애의 경우에는 만남의 시간과
공간이 헤어져 있는 것이 더 길다.

그로 인해 애틋한 마음은 간절하나
서로 간의 일체감은 떨어진다.

연애와 결혼의 차이점은 2

반면에 결혼생활은 시간성과
공간성이 이별의 단절 없이
계속됨으로서 그 연속성으로
인한 피로감이 쌓이게 된다.

서로를 구속하는 모습이 되어
그것에게서 부터 벗어나고자 하는
갈등이 나타난다는 점이다.

결혼생활인 경우에는 서로에게
충분한 휴식과 자유로운 시간적
여유로움이 동반되도록 해야 한다.

혈연에 가두어서야 1

그녀는 신념을 말할 때
독실한 모태라고 표현한다.

시집은 무슨 신념이고,
친정은 그 반대라고 한다.

이는 혈연이란 형이하학적
구성요소와 정신의 세계를

구분하지 못하고 단일시각만
가지고 있음을 알아야 한다.

혈연에 가두어서야 2

남녀를 구별하는 것이
정신의 세계와 무슨
상관관계가 있는 것인가?

남녀 차이 하나만으로
또 다른 인간을 속박한다.

신념의 권력화로 가해자와
희생자가 무수히 생겨나는
부조화가 당연시 되고 있다.

혈연에 가두어서야 3

글자나 모양으로 같다.
신념이 같은 것처럼 보일 뿐
사람마다 마음속의
신념은 분명 같지 않다.

정신적인 영역은 형태가 없는
개념 속에 존재하기에
결코 실제적으로 통일성은 없다.

신념을 지닌 하나의 객체로서
독립된 존재임에도 문자화된
통일성으로 구속하여 간다.

몸과 마음을 하나로 몰아가는
오류를 범하고 있음을 알아야 한다.

모정이란

고운 홍안은 없어지고
깊게 파인 주름만이
모습으로 남아 있다.

팔순 노모의 모습에서
어머니란 가슴 뭉클한
의미 이외는 아름다움은
시각적으로 없다.

자식이 그 깊은 주름살에
스미어 들어오는 날이면
세상에서 가장 아름다운
여인으로 재생되어 진다.

자식의 겉만 보려 하니

생각보단 부모는
자식의 마음속을
보려 하지 않는다.

다른 사람들은
몰라도 자식은
내 속으로 났으니
안다고 생각한다.

그러나 그 속은
부모의 속이지
자식에겐 겉모습임을
알아야 한다.

자식이 반발한다면

자식을 품을 수 없을 만큼
부모 마음이 작은 것이다.

사회에 대해서 반발한다면
사회가 자식의 마음을
품을 수 없을 만큼 포용력이
옹색할지 모른다.

자식의 몸과 마음을 다 품을
수는 없겠지만, 노력을 해야 한다.

.

식당과 아이들 1

사람들이 식사하고 있다.
젊은 엄마들과 아이들이
떠들썩하게 식당에 들어온다.

한가로운 분위기의 식당이
에너지 넘치는 아이들로
한순간 난장으로 바뀐다.

아이들을 나무랄 수가 없다.
부모로부터 관심을 받고자 하는
원초적인 행동이기 때문이다.
난 서둘러 식사를 마치고 일어난다.

식당과 아이들 2

어른들도 목소리가 커진다.
나이가 먹으면 청각 능력도
떨어지기에 목소리가 커지게 된다.

물론 유별나게 크게 웃거나
떠드는 사람이 꼭 있다.
아이들과 무슨 차이가 있을까?

허세라고 해도 좋은 것이다.
관심을 받고자 하는 것이다.

다만 아이들은 고쳐지지만
나이든 사람은 그대로 생의
마지막까지 가지고 갈 것이다.

식당과 아이들 3

영장류는 새끼를 키울 때
항상 몸에 품고 키운다.
사람 또한 같은 종이니
비슷하게 키운다.

다만 마음속으로 품고 사는
정도의 차이가 있을 것이다.

앞에 같은 경우에는 겉으로만
끼고 키우지 마음으로 붙잡는
법이 약하거나 익숙하지 못한
결과물일 수도 있다.

식당과 아이들 4

한석봉이란 조선 시대의
유명한 서예가가 있다.
고사에 이런 장면이 있다.

캄캄한 방안 호롱불 아래서
어머니는 떡을 썰고 아들은
글을 쓰고 있는 장면이다.

무거운 침묵만이 흐르고 있다.
자식에게 떡을 썰어 달라 하거나
글 잘 쓰라는 말 한마디가 없다.

식당과 아이들 5

한석봉의 모친은 자식의
마음을 정확하게 읽고 있었다.

자식은 잠을 자고 싶을 것이다.
그리고 공부는 사실은 하고
싶지는 않을 수 있을 것이다.

그러나 어머니의 절제된 침묵과
떡 썰고 있는 소리에 자식은 쉽게
잠을 이루기 어려울 것이다.

식당과 아이들 6

호롱불이지만 그 불빛
밑에서 떡을 정갈하게

썰고 있는 모친과 글을
공부하는 아들의 모습을
그려 본다.

그곳엔 사색이 깃들어
있어서 평화롭다.

밖에서 배워오라 해놓곤

자식은 잠시도 쉴 새가 없다.
온종일 밖에서 이것저것을
배우기가 무척 바쁘다.

집안에서 잠시라도 머물러
있는 것을 보기 어렵다.

그런데 자식이 커가면서
부모 말을 잘 안 듣는다.

계속 밖에서 배워오라고
했으니 부모한테 배운 것이
적은 것이다.

돌아가신 후에 후회한다고 하면 1

부모 생전에 불효하고
부모 돌아가신 다음에

후회하는 것이 자식인
우리의 일상의 모습이다.

왜 후회하지 않도록
효도를 하지 못하는가?

아마도 이는 이런 이유도
한 부분에 해당할 것이다.

돌아가신 후에 후회한다고 하면 2

살아 있다는 것만으로도
행복하다고 생각했다면

부모가 생명을 내어준
것만으로도 감사한 생각에
부모에게 잘했을 것이다.

문제는 처음부터 그렇게까지
생각하지는 못했다는 것이다.

그래서 부모가 돌아가신 후에
후회를 하게 된 것이다.

장난감을 1

어린아이는 장난감을 좋아한다.
특히 사내아이들은 자동차 종류의
움직이는 장난감을 좋아한다.

이는 현재 상태가 가두어져 있어
답답함을 의미하고 반면에 변화를
원하며 움직이는 것에 대한 관심으로
그 욕구를 나타내고 있는 것이다.

다른 인생관을 인정해야

부모와 자식이 같은
인생관이면 좋을 것이다.

반면에 다르다면 서로가
서로에게서 벗어나려고
하며 힘들어 할 것이다.

그로 인해서 서로에게는
반작용이 생기면서 각자의
실력에 하강 곡선을 그려진다.

부부간에 평등하여도

남남이 만나 혈연처럼
살아가기에 현실적으로
많은 문제가 생기게 된다.

그중의 하나가 공동으로
무언가를 도모했을 때
각자가 잘하는 것도 있고
잘못하는 경우가 있다.

사람마다 잘하고 못하는
일이 있으니 그 점을
잘 파악하여 항상 리더가
되기보다는 보조도 할
용기가 있어야 한다.

자식 이야기만 하면

틈만 나면 자식에 관한
이야기만 하는 사람이 있다.

자식이 자신의 생의 결론이
이미 되어 버린 것이다.

다만 자식 이야기를 하는
현재 이곳에는 자식이 없다.

당연히 이야기하는 당사자
또한 자식이 되어 버렸으니
이곳에는 없는 모습이다.

탓하면서 살기에 바쁘다

자신의 성장기 시절임에는
부모가 자신을 키워주지
못함을 탓하기에 바쁘다.

자신의 성장기 이후에는
자식이 성장을 제대로
잘못함을 탓하기 바쁘다.

자식에게 희생하고 살았다는데

자기 자신은 못 먹고
자식을 위해 희생한다.
지극한 모성애라 한다.

그러나 그 이면에 있는
의식 속엔 자식을 자신과
동일시하는 생각이 있다.

자식과 부모는 다른 객체인데
둘이 하나라고 몰입하는 것
이것 또한 욕심일 수 있다.

제 5 장 세상에 대하여

누군가가 돌아섰다고

누군가가 돌아섰다고
느낀다면 아마도
나도 돌아섰을 것이다.

대부분 배신을 당했다고
느끼나 사실은 그쪽에서

나의 돌아섬을 좀 더
빨리 파악했을 뿐이다.

진실이 꼭 답일까

어떤 사실이 맞기에
정답이라 한다.

또한, 어떤 사실은
틀렸기에 정답이라 한다.

정답은 진실만을 의미
하지 않는다는 점이다.

문제를 내는 사람의 의도에
따라 정답이 달라지는 것이다.

가깝다고 하면서

가깝다고 하면서
자기가 하고 싶은
대로 대한다면

소중해서 가까운
사이가 아니라

함부로 대할 수
있어서 가까운 것이다.

책에서 제목이란

글을 쓰다 보면 제일
와 닿는 말이 있다.
어쩌면 제일 빼어난
글귀 일 것이다.

그 것을 제목으로 쓴다.
책의 제목은 집의 문패와
같은 것이 되어 진다.

겉으로 드러낸 나와
속이 일치가 되도록
노력해야 한다.

인사를 하면서도

서로가 만나서 반가움을
표시하는 것은 순간의
교감으로 그 속에 세월은 없다.

반가움을 표시하는 인사를
한 살이라도 나이든 사람이
먼저 할 수가 있다고 하면
반가움이 배가 될 것이다.

인간사에서 벗어났는데도

인간사에서 벗어났기에
이미 초월했다고 한다.
그곳에서는 초월한 이의
집단이 이루어져 있다.

인간사에서는 벗어났으니
우리는 초월 했다고 한다.

그곳은 또 다른 인간사뿐만
아니라 정신까지 더 끈끈하게
결합하여 있는 곳이 되어있다.

가야금을 생각하면서

가야금을 연주하는 것을
가야금을 탄다고 한다.

가야금 줄은 열두 줄이다.
기러기발 모양의 받침대

일 년 열두 달 홀연히
언제든지 떠날 수 있는

마음으로 세월을 탄다.
가야금을 타는 미학이다.

장인의 손끝에서 1

허름한 구두 공장에서
예쁘고 세련된 구두가
만들어져 나온다.

이는 재료가 예쁜 것인가?
초로의 구두 장인이 앉아
있는 모습에서 아름다움이
느껴지는 것인가?

주변을 보아도 그런 모습은
보이지 않는데 빛 광에
눈부신 자태를 뽐내고 있다.

부엌에서 1

옛날의 시골부엌이란
통풍은 잘되게 하였어도

냉장고가 없던 시절이라
햇살은 들지 않아 어둡다.

또한, 부엌의 위치는
북쪽에 위치하고 있다.

북쪽으로 난 쪽문의
뒤쪽엔 장독이 있다.

부엌에서 2

부엌은 생명의 시작과 끝을
의미하는 곳으로 북방이다.

자북으로 그곳에 사람의
몸으로는 자궁의 자리이다.

숫자로는 일을 가리키고
물질로는 맑은 물이 된다.

부엌은 그야말로 생명의
시작과 끝이 교차한다.

옛 선조들은 부엌 선반에
맑은 물 한 그릇 오롯이
떠 놓는 이유가 그곳에 있다.

부엌에서 3

바닥에 물기가
마르긴 했어도

푹석하지 않고
맨 돌 모양으로
반들거린다.

무거운 상을
들고 나가고

며느리의 한숨
쌓여 딱딱한
옥돌이 되었다.

화전

반들거리는
세월 눈물
부엌 바닥
한쪽 아궁이

가마솥 뚜껑
불판에
부쳐내는 화전

온갖 들녘의
생명 꽃들이
형형색색
옷을 입고
화전놀이 간다.

프로는 말이 없다는데 1

프로는 말이 없다고 한다.
이는 자기의 전문적인 일을
집중해 한눈팔 시간이 없다.

군더더기를 붙여 하소연을
하지 않음을 말하는 것이다.

어떠한 일을 시작하기도 전에
주변의 어려운 상황이 있어서
할 수 없다고 말하지도 않는다.

프로는 말이 없다는데 2

프로는 말이 없는 것인가?
아니다. 자기 분야에 대해서는
끊임없이 말을 한다.

그렇지 않은 이는 자기가
가고자 하는 방향이 혈연과
환경 등으로 장애가 되고
있음을 끊임없이 이야기한다.

자기 스스로는 한 발자국도
나가지 않고 말만 많이 한다.

고집이 문제일까

고집이 너무 강한 사람은
주변 사람들을 피곤하게 한다.

물론 융통성이 있는 고집인
경우는 문제가 되지 않는다.
대화의 창은 있기 때문이다.

융통성이 없는 고집이란
대화를 해야 하는 상황에서
대화가 안 되는 것을 말한다.
이를 옹고집쟁이라 한다.

새 조에서 날개를 버리면

한자에서 새 조가 있다.
그 글자의 밑에 있는
날개를 버리고 산 이란
한자를 놓으면 섬이 된다.

생각에다 날개를 달아서
상상의 날개를 펼 것이냐
아니면 스스로 고립하여
섬이 되느냐는 자기 생각
끝에 달려 있다.

돌을 던지기보다는

살다 보면 오다가다
지천으로 널려있는
돌부리에 걸린다.

돌은 던지기 쉽다.
돌을 던지는 만큼
내 마음도 작아진다.

돌을 던지지 않고
쌓은 이가 있다.

정교하지는 않지만
그래도 큰 바위가 된다.

힘들어하면서 계속 만나는 것은

만나는 것을 힘들어하면서
계속 만나는 이가 있다.

모르는 사람에게서는 얻지
못하는 무엇이 있기 때문이다.

아는 사람이기에 얻는다.
그것은 아마도 정일 것이다.

어쩌다 잘해주어도

누군가가 항상 나에게
잘해주기를 바라지 마라.

어쩌다 한번 잘해주어도
많이 잘해주는 것이다.

그대는 누군가를 위해
어쩌다 라도 잘 해주고
있는가?

어쩌다 잘못한 것이라면

어쩌다 잘못
한 것이라면

흔쾌히 잘못을
인정할 것이다.

어쩌다 한번
잘못하였기에

잘못한 지를
금방 알 수가 있다.

그릇을 제자리에 1

그릇이 제자리에 있다.
그릇이 필요할 때마다
제자리에 있는 그릇을
꺼내서 사용한다.

그릇이 스스로 제자리에
있는 것은 아닐 것이다.
그릇을 사용하는 사람이
편리하게 쓰기 위해서
제자리라고 놓아둔 것이다.

그릇을 제자리에 2

우리는 그릇 등을 수납하면서
항상 제자리에 잘 정리하기를
바란다. 그렇지 못하면 문제가
있다고 생각을 한다.

그러나 그릇은 스스로 제자리에
가서 그 자리가 내 자리라고
하지 않는다. 그 자리는 정리
하는 이의 생각의 자리인 것이다.

자기 외에는 타인에게 제자리란
결국 남이 정하여 놓은 자리이다.

한번 잘못한 것이 아니기에

어쩌다 한번 잘못
한 것이 아니기에
잘못을 잘 모른다.

물론 그 일은 딱 한 번
잘못했을 것이다.
그러나 그러한 유형을
잘못을 과거에서도
했을 것이다.

변명하지 말라고
하는 이유를 곱씹어
볼 필요가 있다.

작은 고민이라도

작은 고민이라도
큰 고민일 수도 있다.

반면에 큰 고민이라고
느껴지는 것도 작은
고민으로 느껴지기도 한다.

이는 생의 방향성에 따라
그 비중이 다르기 때문이다.

같은 방향에 있는 이에게
고민 묻지 말아야 한다.

같은 방향이기에 문제가
더 커질 수 있기 때문이다.

오늘 내가 큰 고통을

누군가에게서 큰 고통을
받았다고 힘들어한다.

문제는 내가 남에게 준
고통은 나 자신은 크게
느끼지 못한다는 것이다.

어찌하든 내가 고통을
받지 않았기 때문이다.

내가 받은 것만 고통으로
생각하기 때문이다.

새는 부리를 드러내지만

새는 부리를 드러내지만
인간은 이를 숨긴다.

음식을 먹을 때는
더욱 이를 숨긴다.

미소를 지을 때라도
최소한 윗니만을 보일뿐
아랫니는 감춘다.

안 맞는다고 화를 내면은

처음에는 잘 안 맞아서
서로를 이해하여야 한다.

처음부터 맞지 않는다고
일하기 전에 화를 내고 있다.

일이 안 맞는 것이 아니라
마음이 맞지 않은 것이다.

현실은 극복 대상인가?

현실의 여건이 발목을 잡아
이상을 실현하기가 힘들어
그 길을 갈 수 없다고 항변한다.

언뜻 이상과 현실의 괴리가
크게 있는 것으로 보인다.
그러나 이상과 현실은 다르지
않고 별개의 것이 아니다.

현실과 이상은 몸과 마음처럼
하나이면서 이면이기 때문이다.

있던 그곳으로 가면은

있던 그곳에서 무언가 맞지
않은 것을 느껴서 나왔다.

새롭게 변화를 위한 논리가
부족해 다시 되돌아간다.

새롭게 시작한다고 한다.
주변에선 집 나간 이가 다시
돌아온 것이라 한다.

논리의 다양성과 균형감을
키우는 일이 스스로 자기를
자유롭게 함을 알아야 한다.

세월이란

글을 쓰고자 책상에 앉아 본다.
문득 손끝에 성큼 나와 있는
손톱을 보니 방금 나온 손톱이건만
오래된 모습으로 삐죽이 나와 있다.

손톱깎이로 손톱을 깎다 보니
문득 어린 시절 할아버지의
손톱을 나에게서 보게 된다.
세월은 어느새 문득 다가온다.

달인 1

밀가루 반죽을 이리저리
치대는 달인을 보았는가?

그는 지금 묵언 수행 중이다.
온갖 잡념을 다 반죽 속에
넣어 구름을 만들고 있다 .

반죽을 잘고 길게 뽑아낸다.
그리고 비를 내리고 있다.

펄펄 끓은 세상살이에 힘든
이들에게 시원한 육수와 하나
되어 촉촉한 단비의 청량감을 준다.

달인 2

국수는 명을 길게 하는
식품으로 예나 지금이나
사람들이 즐겨 먹는다.

잘 치댄 면발은 쫄깃하여
중간에 끊어질 염려도 없다.

낱알이 흐트러질 일도 없다.
그냥 후루루 들이마시듯

단순하게 먹을 수 있다.
장수하는 방법의 하나

숫자에서도

숫자가 일에서 열까지 있다.
삼이라는 숫자가 현재라면
숫자 일과 이는 과거이고
숫자 사는 미래가 될 것이다.

숫자의 끝이 열이라고
일에서 구까지는 과정에
머무는 것이 아니다.

각자의 숫자는 객체로써
완전하게 존재하고 있다.

스스로 때맞추어 음식을

스스로 때맞추어 먹는 음식이
진짜 음식을 먹는 것이다.

누군가에 의해 정해진 시간에
맞추어 먹는 음식은 먹기 힘들다.

억지로 먹인다는 말과 같다.

맛난 음식 이전에 생명을 먹는
것이니 스스로 먹어야 할 가치와
의무가 있다.

아침을 깨우는 소리란

아침마다 잠에서 깨어나는
수단이 텔레비젼의 드라마를
보아야 하는 사람이 있다.

그것도 음량을 최대한 높게
틀어야 잠에서 그 소리가
시끄러워 깨는 사람이 있다.

드라마를 보기 위해 잠에서
깨어날 수도 있을 것이다.

그러나 저혈압이어서 적당한
자극으로 혈압을 올려야 하는
사람임을 생각 하여보아야 한다.

배려에 대한 예의란 1

가까운 지인이 생각해서
음식을 가져다준다.

그러나 그 음식을 맛본
이는 이렇게 말한다.

음식이 짜다고 말한다.
늘 상 습관처럼 말한다.

배려에 대한 예의란 2

그 사람은 대체로 음식을
싱겁게 먹고 있는 편이다.

자기 의사를 표현했는데
무엇이 문제냐고 반문한다.

물론 맞다. 그러나 상대방에
대한 예의가 먼저 여야 한다.

다음엔 그 음식은 물론 다른
음식 또한 기대하지 않아도 된다.

공부란 무엇인가?

공부란 숲을 가꾸는 것이다.
숲은 나도 이롭게 하지만
모두에게 이익을 줄 수 있다.

당장은 큰 이득이 없을 수 있다.
나무들이 커가면서 수종에 따라
큰집도 가구도 만들 수 있다.

숲을 가꾸는 것은 다음 세대를
위한 원대하고 아름다운 꿈이다.
세밀한 계획과 인내를 필요로 한다.

세월 열차란

잠시도 가만히 있지 않다.
온갖 부속품을 다 사용하여
조립하여 열차를 만든다.

기름을 준비하여 출발한다.
반면에 세월 열차는 기름이
필요 없다.

세월 열차는 세월이 기름이다.
그냥 가만히 의자에 앉아서
있기만 해도 잘도 간다.